LES ÉDITIONS Z'AILÉES
22, rue Ste-Anne C.P. 6033
Ville-Marie (Québec) J9V 2E9
Téléphone : 819-622-1313
Télécopieur : 819-622-1333
www.zailees.com

DIFFUSION ET DISTRIBUTION : MESSAGERIES ADP
2315, rue de la Province
Longueuil (Québec) J4G 1G4
Téléphone : 450-640-1237
Télécopieur : 450-674-6237
www.messageries-adp.com
*filiale du Groupe Sogides inc.,
 filiale du Groupe Livre Québecor Média inc.

Infographie : Impression Design Grafik
Illustrations : Marie-Lee Lacombe
Maquette de la page couverture : Impression Design Grafik
Texte : Isabelle Lauzon
Crédit photo : Claude Dumas

Impression : Janvier 2014
Dépôt légal : 2014
Bibliothèque nationale du Québec
Bibliothèque nationale du Canada

ISBN : 978-2-923910-24-6

Imprimé au Canada sur papier recyclé.

Les Éditions Z'ailées remercient la SODEC pour l'aide accordée à
leur programme de publication et reconnaissent l'aide financière du
gouvernement du Canada par l'entremise du Fonds du livre du Canada
(FLC) pour leurs activités d'édition.

Gouvernement du Québec — Programme de crédit d'impôt pour l'édition
de livres — Gestion SODEC

SODEC
Québec

Malina
mi-sorcière, mi-fée

Isabelle Lauzon

ÉDITIONS
AiLÉES

À Tania,
Pour m'avoir un jour réclamé
une histoire de fée-sorcière.

À Martin et Marc-Antoine,
Pour votre amour au quotidien.

À tous ceux qui sont nés différents,
Et en ont découvert les avantages.

chapitre 1

Le jour vient à peine de se lever et déjà, monsieur Soleil et monsieur Nimbus se disputent dans le ciel matinal. De son lit, Malina peut voir et entendre les signes de leur bagarre. Le tonnerre qui gronde par-ci, les rayons qui éclairent par-là, les deux ennemis débutent bien trop tôt leurs querelles aujourd'hui !

Les yeux encore bouffis de sommeil, Malina saute à pieds joints sur le sol et court enfiler sa robe princière – une drôle de robe à moitié noire, à moitié bleue –, qui a été conçue spécialement pour elle. Malina est différente : elle est une fée-sorcière, ce qui signifie que son corps est à moitié fée d'un côté et à moitié sorcière de l'autre. En fait, elle est la seule fée-sorcière qui existe dans tout le Royaume du temps.

Malina passe un coup de peigne rapide dans sa chevelure blonde, celle de droite, qui se démêle aussitôt. Du côté gauche, il n'y a rien à faire : les ronces qui lui tiennent lieu de cheveux resteront ébouriffées, comme d'habitude. De toute manière, c'est bien plus joli ainsi !

Une fois que Malina est devenue présentable, elle fonce comme une flèche dans les couloirs du Château du temps. Lorsqu'elle passe devant les cuisines, l'arôme subtil des gaufres grillées par monsieur Dragon, le grand chef royal, lui chatouille les narines. Non, elle n'a pas le temps de manger, car l'heure est grave. Elle doit empêcher un drame, une tragédie, **une catastrophe !**

Soudain, des éclats de voix résonnent dans la tour Nord.

Malina s'arrête en pleine course et ses épaules s'affaissent.

– Trop tard, murmure-t-elle en baissant la tête.

Comme d'habitude, ses souverains parents, le roi et la reine du Royaume du temps, se disputent comme des chiffonniers. Malina grimpe les marches à pas de souris et tend l'oreille. Peut-être reste-t-il un espoir, peut-être est-il encore temps de mettre un terme à la guerre qui se prépare.

– J'exige une journée ensoleillée pour l'anniversaire de ma fille! hurle la reine de sa voix cristalline. En tant que fée, Malina se doit de briller de mille feux. Seul un ciel sans nuage pourra lui rendre hommage !

– Un orage violent serait bien plus approprié à son statut de sorcière, rétorque le roi d'un ton courroucé. Vent, pluie et éclairs ne devraient pas être épargnés pour souligner ce jour unique !

– Si tu t'entêtes à contrecarrer mes plans, je ferai appel à mon armée, menace la reine.

– Abandonne la partie, ma chère ! dit le roi. Tes troupes ne sont pas de taille à affronter mes sorcières, ajoute-t-il pour la narguer.

– **Peuh !** s'exclame la reine. Mes fées triompheront sans peine de tes vilaines chipies !

Hélas ! Malina doit se rendre à l'évidence : ses parents se disputent encore à cause d'elle. Parfois, elle se demande comment ils ont fait pour tomber amoureux. Ils sont si différents l'un de l'autre !

Elle dévale l'escalier en pleurant. Les yeux brouillés par les larmes, elle cherche un refuge, car l'air du château est irrespirable, surchargé de colère. Suffoquant sous les sanglots, elle se précipite dehors et court vers le grand chêne, son seul véritable ami. Un ami silencieux, peut-être, mais qui écoute toujours ses peines avec attention.

Malina observe son reflet dans la mare qui s'étend au pied du

chêne. L'eau miroitante lui renvoie une fois de plus sa différence. Dans son visage, deux natures opposées s'affrontent depuis sa naissance. Du côté gauche, trois jolies verrues trônent sur une peau vert amande. Une chevelure d'ébène, touffue et ébouriffée, accompagne cette moitié sorcière de sa figure, dévoilant fièrement son héritage paternel.

Le côté droit de Malina est très différent : une cascade de cheveux blonds accompagne sa joue douce comme un pétale de rose. Toute la splendeur des fées illumine cette moitié de sa figure.

Née mi-fée, mi-sorcière, Malina

n'arrive pas à se faire accepter dans le Royaume du temps. Elle fait autant partie du clan des fées que de celui des sorciers, mais aucun de ces groupes ne veut l'accueillir dans ses rangs. Et pourtant, elle sent qu'elle pourrait faire partie des deux. Au fond, elle aime être différente, mais comment amener les autres à apprécier cet aspect de sa personnalité ? Elle n'y arrivera jamais !

chapitre 2

Un rire grinçant interrompt les pensées moroses de Malina. Dans le ciel en bataille, treize jeunes sorcières foncent comme des comètes sur leurs balais magiques. Il s'agit de la bande des treize, les guerrières attitrées du roi. Après quelques cabrioles, elles atterrissent en désordre dans leur cercle de pierres volcaniques. Le combat commencera bientôt.

La tristesse au cœur, Malina observe la Cour des affrontements. Les fées et les sorcières s'y mesureront bientôt dans un duel de danse dont l'issue déterminera la température du jour.

Comme d'habitude, les sorcières décident de tricher. Sans

attendre leurs adversaires, elles tendent leurs bras crochus dans les airs et poussent leur cri de ralliement. Leurs énormes pieds griffus piétinent le sol avec frénésie, puis elles entament une ronde inquiétante, une sorte d'étrange mélange de mouvements de côté et de balancements désordonnés. Leurs mains se tordent et s'élèvent tour à tour, comme si elles manipulaient des cordes de marionnettes invisibles. Leurs robes noires soulèvent la poussière, formant autour d'elles un brouillard gris.

Malgré sa tristesse, Malina est fascinée par la danse des sorcières.

Leurs gestes sont si menaçants et leurs mines si sombres! Elle a maintes fois tenté de les imiter, mais les membres de la bande des treize ont été triés sur le volet parmi les plus vilaines sorcières. Malina sait très bien qu'elle n'a aucune chance d'être admise dans leurs rangs.

Tout comme Malina, monsieur Nimbus est impressionné par cette danse lugubre. Dans le ciel, une montagne de nuages écrase sans pitié monsieur Soleil. D'une voix tonitruante, le tonnerre gronde la victoire du seigneur de l'orage.

Assise sur l'herbe fraîche,

Malina soupire d'aise quand les premières gouttes de pluie chatouillent sa peau. Elle est bien la seule, dans le royaume, qui apprécie autant la pluie que la chaleur du soleil! Et au fond, pourquoi devrait-elle choisir, pourquoi devrait-elle avoir une préférence? Les deux éléments ont leurs avantages et leurs inconvénients. Si elle l'osait, elle tenterait de l'expliquer aux autres, mais justement, elle n'ose pas. Elle est persuadée qu'ils ne comprendraient pas son point de vue.

Des éclairs sautillent autour de Malina. Non loin d'elle, les sorcières ricanent leur joie d'avoir remporté cette première manche. Grisèle, la plus hargneuse des sorcières, entrevoit soudain Malina, son souffre-douleur favori. Les paupières de la chipie se plissent de malice et elle s'exclame d'une voix rauque :

– Attention les amies, voilà la pleurnicheuse !

Des rires éclatent dans le cercle de pierres volcaniques et des voix éraillées reprennent en chœur ce cruel surnom : « **Pleurni-cheuse, pleurnicheuse !** » Malina, comme d'habitude, baisse la tête sous les moqueries et ne dit rien. Les sorcières l'appellent ainsi depuis le jour où Malina leur a demandé si elle pouvait se joindre à elles pour une danse. Ce jour-là, les chipies se sont moquées d'elle si méchamment que la fée-sorcière s'est mise à pleurer. Ce n'est pas sa faute, c'est son côté fée, son côté sensible, qui n'a pas su se retenir. Et puis, elle était toute petite ! Depuis ce jour, les sorcières de la bande des treize se moquent de Malina à la moindre occasion pour lui rappeler sa faiblesse.

chapitre 3

Une brise légère soulève les cheveux de Malina et un chant céleste caresse ses oreilles. Sept fées flamboyantes survolent le champ de bataille : la troupe des sept. Leurs ailes de soie papillonnent pendant qu'elles virevoltent dans les airs en une gracieuse farandole multicolore. Avant même que leurs pantoufles de fleurs n'aient effleuré leur cercle de pierres blanches, monsieur Soleil, enflammé par leur danse enchanteresse, transperce le barrage nuageux.

Telles des épées dorées, ses rayons attaquent les sorcières. Celles-ci poussent un hurlement de terreur et tentent de protéger leur visage. Le soleil ne leur fera aucun mal, mais elles craignent qu'il n'affaiblisse leur teint verdâtre. Quelle bêtise! Malina ne s'est jamais cachée du soleil et le côté gauche de son visage a toujours conservé ses couleurs.

Dans le cercle de pierres blanches, une douce lumière

nimbe les fées d'une aura étincelante, si étincelante que Malina a du mal à les regarder. Dans un ensemble parfait, elles éclatent de rire, un rire argentin et divin, à faire pâlir d'envie les musiciens du monde entier. Devant leur grâce et leur beauté, Malina pousse un cri admiratif. Arella, la capitaine des fées, lui répond par un regard dédaigneux et ordonne à ses amies de poursuivre leur danse, ignorant la pauvre Malina. Les fées n'ont jamais accepté cette dernière dans la troupe des sept. Elles la jugent trop maladroite.

Les sorcières, furieuses d'avoir

perdu la deuxième manche, entendent bien prendre leur revanche. Grisèle aboie des ordres et ses consœurs redoublent d'efforts. Leurs pas deviennent encore plus sinistres et leurs grimaces plus effrayantes. Le sourire victorieux d'Arella se crispe sur son doux visage lorsqu'elle voit les nuages noirs revenir en force.

Cette guerre menace de se poursuivre durant des heures. Malina, lasse de ces querelles, glisse son regard vers le Château du temps. Sur le pont-levis, le chef Dragon et Blanche, la chatte ménagère, se chamaillent à propos d'un dégât sur le plancher de la cuisine. Un coup de patte hérissée de griffes, un jet de flammes en plein museau, ces deux-là se bagarrent souvent. Dans la tour Nord, le roi et la reine se lancent à la figure des coussins, des bougies et des gobelets.

Les sorcières contre les fées, le cuisinier contre la ménagère, son père contre sa mère... Pourquoi tout ce monde se bat-il, se dispute-t-il souvent sans raison valable, juste pour le plaisir de se chamailler ?

– Assez, **c'est assez !** s'écrie Malina, à bout de nerfs. Je ne mettrai plus jamais les pieds dans ce château ! Ça y est, c'est décidé, je m'en vais d'ici pour toujours !

Une voix rocailleuse s'élève dans le dos de Malina :

– Ce n'est peut-être pas la solution. Et si tu recherchais plutôt l'harmonie ?

– Qui parle ? demande Malina en tournant comme une toupie.

Elle ne voit personne. Ce n'est tout de même pas son chêne qui vient de prononcer ces paroles ? L'espace d'un instant, la fée-sorcière prend peur. Si cet arbre peut parler, il peut aussi aller révéler ses secrets les plus intimes à tout le monde !

Chapitre 4

Malina surprend un mouvement sur le tronc du chêne. Elle s'avance et scrute avec attention l'écorce. Et là, sans crier gare, deux ailes gigantesques se détachent de l'arbre. Malina sursaute et fait un pas en arrière. Devant ses yeux ébahis, un papillon brun-gris déploie ses ailes et sa couleur tourne au vert. Un papillon caméléon !

– Alors quoi? se moque l'insecte. Tu n'avais jamais vu de papillon avant?

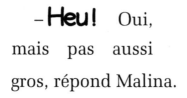

– **Heu!** Oui, mais pas aussi gros, répond Malina.

Le papillon bat des ailes de plus en plus vite. Il s'apprête à prendre son envol.

– **Attendez!** lance Malina, le cœur battant la chamade. Vous avez parlé d'harmonie… Qu'est-ce que c'est?

Les ailes du papillon ralentissent. Il semble réfléchir.

– C'est un peu difficile à expliquer. En fait, on pourrait comparer l'harmonie à une fleur. Une fleur dorée qui réclamerait sagesse et patience.

– Et que fait-elle, cette fleur ?

Le papillon soupire.

– Tu en poses des questions, toi ! Disons que l'harmonie permet de réconcilier les ennemis. Elle apporte le bonheur, la bonne humeur… Tu comprends ?

Excitée, Malina bat des mains.

– **Oh !** C'est en plein ce qu'il me faut ! Comment puis-je trouver cette merveille ?

Le papillon caméléon soupire encore une fois, bat des ailes avec frénésie et s'envole.

– Je ne sais pas, moi, c'était juste une idée comme ça! dit-il. Par là, peut-être! ajoute-t-il en pointant le sud avec son aile. Maintenant, je te laisse, j'ai trop faim. À un de ces jours!

Malina observe les ailes de l'étrange insecte. Elle les voit devenir bleues, un bleu-gris qui le camoufle à merveille dans le ciel nuageux. Elle appuie son dos contre le grand chêne et réfléchit aux conseils du papillon.

Et si la fleur d'harmonie était

la solution ? Elle devrait peut-être la chercher… Oui, c'est ce qu'elle fera. Et si elle échouait, si elle se perdait ? Malina ne sait plus ce qu'elle doit faire, elle hésite.

« Ça suffit ! se dit la fée-sorcière. Je n'ai rien à perdre et tout à gagner ! Je dénicherai cette fleur d'harmonie et la rapporterai coûte que coûte ! »

Sitôt sa décision prise, Malina se dirige vers le sud. Tant pis pour son anniversaire, tant pis pour ses parents ; elle part et rien ne la fera changer d'avis. Pas même les menaces de la Forêt des Cent peurs, dans laquelle elle s'apprête à s'engager.

Chapitre 5

Du haut de sa tour, Malina a bien souvent observé la Forêt des Cent peurs, cette étendue d'arbres matures qui débute derrière le château et se poursuit vers le sud. Pour lui faire plaisir, son père lui a souvent raconté des histoires horribles à propos de cet endroit. Selon lui, il y vivrait des créatures géantes : des monstres à trois têtes, des limaces féroces, des

sauterelles aux dents pointues.

Malina a toujours adoré ces récits d'aventures où de courageux sorciers triomphent de leurs ennemis grâce à leurs sortilèges et leurs potions. Mais elle n'a jamais vraiment été tentée de pénétrer dans la Forêt des Cent peurs. Pas toute seule, en tout cas.

À présent qu'elle se trouve à l'orée de la forêt, elle se sent peu rassurée. En ce moment, Malina préférerait croire que son père a inventé ces histoires pour renforcer le côté sorcière de sa personnalité. Ce qui ne doit pas avoir très bien fonctionné, puisqu'elle ne peut s'empêcher de frissonner.

Son père serait si honteux de la voir trembler ainsi! Cette idée la convainc une fois pour toutes d'entrer dans la forêt. Elle dénichera cette fleur d'harmonie et rendra son père fier d'elle.

Au fil de ses pas, le sentier se rétrécit et l'air s'alourdit d'une tension presque palpable. Les feuilles semblent comploter contre elle. Les arbres craquent avec de petits bruits secs et tendent leurs branches pour l'agripper.

— Je n'ai pas peur, je n'ai pas peur, murmure Malina, la voix chevrotante.

Bien sûr, ce n'est pas vrai. Il

fait si sombre dans cette forêt de malheur ! La cime des arbres s'étire trop haut, elle n'arrive pas à voir le ciel.

Y aura-t-il vraiment une contrée de l'autre côté ? On dirait que la forêt s'allonge à l'infini. Malina devrait peut-être rentrer chez elle et oublier toute cette histoire.

Son sang de sorcière se met à bouillir dans ses veines. Quoi ? Il n'est pas question d'abandonner ! Sa quête débute à peine ! Malina serre les dents. Non, elle n'a pas peur. Elle a promis qu'elle trouverait la fleur d'harmonie, et elle ne s'arrêtera pas avant de l'avoir dénichée.

Une chance que sa moitié sorcière est parfois plus forte que sa moitié fée ! Il y a un petit inconvénient à être une fée-sorcière : on doit toujours livrer un combat contre soi-même. Cette fois, son côté fée a perdu la partie et son côté sorcière la pousse à avancer encore, à découvrir ce qui se trouve de l'autre côté de la forêt.

Un grondement rauque fait sursauter Malina. Le grondement provient d'un buisson de framboisier, à droite. Elle écarte les branches aux épines acérées comme des poils de porc-épic et tombe nez à nez avec une gueule poilue. Un ours !

— **Ah !** s'écrie Malina.

— **Graourrrr !** répond l'ours en exhibant deux rangées de dents énormes et pleines de bave.

Malina recule à toute vitesse pour s'éloigner de cette bête qui semble si dangereuse. Son père avait raison : il y a bel et bien des monstres dans cette forêt !

Dans sa hâte, Malina se dépêche un peu trop. Son pied gauche, maladroit comme tous les pieds de sorcière, trébuche sur une racine. Sans avoir le temps de réaliser ce qui se passe, elle tombe sur le dos.

L'ours pousse un grognement victorieux et s'avance vers Malina. Ses crocs sont énormes ! Il va bientôt la mordre, elle en est certaine. Son côté fée prend le dessus sur ses émotions et elle se sent défaillir.

Mais l'instant fatidique n'arrive pas. Malina est figée, abasourdie. La bête tend toujours sa gueule vers elle, mais elle vient de dévoiler ses pattes, deux mignonnes pattes blanches dépourvues de griffes. Des pattes de lapin ?

Malina plisse les yeux et observe un peu mieux la bête.

Finalement, celle-ci n'a pas l'air bien féroce. On dirait même qu'elle fait semblant d'être méchante juste pour l'effrayer. Et Malina n'a pas peur, voyons, elle est mi-sorcière !

Malina se relève et avance vers l'ours en le fixant droit dans les yeux.

– **Toi !** Que vas-tu me faire, au juste ? Me dévorer ? Ça m'étonnerait beaucoup !

L'animal recule en regardant à gauche et à droite. Visiblement, il cherche un endroit où se cacher. Malina avait raison : il n'est pas dangereux.

– Je… je voulais juste…

– Oui, quoi? demande Malina en croisant les bras.

– Je voulais juste voir si j'arriverais à te faire peur, avoue-t-il en baissant la tête. Mais non, je ne fais même pas peur aux petites filles. Je suis un moins que rien, un lâche, une carpette! Les lièvres rigolent lorsque je passe devant eux et les saumons me font la grimace. Je suis trop ridicule, laisse-moi!

Cet aveu bouleverse Malina. Elle pose la main sur la patte de l'ours et lui confie :

– Tu sais, je te comprends, car

je vis chaque jour le même rejet
que toi.

– **Toi?** Non, tu ne peux pas
comprendre…

– **Quoi?** Bien sûr que oui! Tu
ne m'as pas regardée? Ne vois-tu
pas que je suis différente?

L'ours penche la tête et examine
le visage de Malina : ses verrues,
sa peau verte et ses cheveux noirs
d'un côté, et de l'autre, son jolie
teint et ses cheveux blonds.

– **Ah!** Oui, en effet, tu es peut-
être un peu différente.

– Un peu?

Malina n'en revient pas. Chez

elle, tout le monde lui fait sentir qu'elle n'est pas comme les autres. Et cet ours, lui, ne semblait même pas l'avoir remarqué! Décidément, elle commence à le trouver bien sympathique!

Chapitre 6

– Je m'appelle Malina. Et toi ?

– Rouf, répond l'ours en se laissant choir sur un énorme rocher.

– À tes souhaits, dit Malina, croyant à tort qu'il vient d'éternuer.

– Non, je me nomme Rouf, insiste l'ours.

– **Ah!** Désolée, dit la princesse en rougissant. C'est un joli nom…

Pendant que Rouf se gratte le dos, elle lui demande :

– Sais-tu où je pourrais trouver l'harmonie ?

– L'harmonie ?   s'étonne-t-il. Qu'est-ce que c'est ?

– Un papillon m'a révélé que c'était une fleur qui… enfin, tu vois, qui… Bon, je ne me souviens plus très bien de ses paroles, mais je crois que cette fleur pourrait ramener la paix dans mon royaume. Elle pourrait certainement t'aider aussi.

– Tu crois ? demande Rouf avec espoir.

– **Bien sûr !** Veux-tu m'accompagner dans ma quête ?

– **Oh oui !**

Grâce à la présence rassurante de l'ours aux pattes de lapin, la Forêt des Cent peurs semble maintenant bien plus accueillante à Malina et le temps passe plus vite en sa compagnie.

Les arbres s'évanouissent bientôt pour faire place à des champs de quenouilles. Malina ne connaît pas cet endroit. En fait, elle ne connaît que le château de ses parents et ses alentours, c'est

tout. Intriguée par ce nouveau paysage, elle demande à Rouf où ils sont.

– Dans les Marais déserts, répond-il. Rien ni personne n'habite dans les environs. Les anciens disent de ce lieu qu'il est maudit. Je doute qu'on puisse trouver une quelconque fleur ici.

Soudain, perçant le silence brumeux qui étouffe le marais, un bruit étrange résonne. Malina et Rouf figent sur place. La fée-sorcière fronce les sourcils et fouille dans sa mémoire. À quoi donc correspond ce drôle de son ? On dirait un grincement... non, un tintement... Elle n'arrive pas à mettre le doigt dessus. Inquiet, Rouf s'écrie :

– **Danger! Danger!** Fuyons ou nous périrons!

– Attends, dit Malina en le retenant par la queue.

Elle tend l'oreille et ordonne ensuite à son compagnon :

– Suis-moi!

Elle voit bien que Rouf hésite. Il se balance un moment sur ses pattes, puis se décide enfin à s'enfoncer avec elle dans les quenouilles.

Chapitre 7

Le bruit s'intensifie, mais aucune menace n'est visible aux environs. Sur la rive d'un étang, une grenouille couleur vert pomme apparaît. Ce doit être une rainette.

La mère de Malina lui a déjà parlé de ces charmantes créatures. Il paraît que certaines d'entre elles détiennent le pouvoir d'exaucer les vœux. Lorsque la lune est rose et que les licornes volent à cheval sur des étoiles filantes…

Malina plisse le nez. À bien y penser, cette histoire lui semble un peu farfelue. Ce n'est sûrement qu'un conte de fées inventé par sa mère.

Assise dans l'eau, la grenouille semble intimidée. Malina lui demande :

– Madame la grenouille, savez-vous ce qui produit ce bruit étrange ?

Évitant de croiser le regard de ses visiteurs, la grenouille s'avance et, sans un mot, leur tourne le dos. Malina met une main devant sa bouche pour masquer sa surprise. La rainette porte une queue de serpent à sonnette !

– C'est moi qui fais ce vacarme, avoue la grenouille. Le grincement de ma queue effraie les canards et les crapauds ! Mes semblables m'ont exilée dans ces lieux putrides pour ne plus m'entendre. Je vous remercie de m'avoir visitée, mais je comprendrais si vous préfériez passer votre chemin.

Malina regarde Rouf et voit avec surprise des larmes déborder de ses yeux. Cette pauvre rainette à sonnette doit rappeler à l'ours ses propres malheurs. Malina ne peut se résoudre à abandonner la grenouille à sa solitude. Son père lui a toujours dit que les rainettes sont très utiles pour les sorciers : elles fournissent une bave riche en vitamines, très efficace pour les potions. Et d'ailleurs, avoir une rainette comme amie est considéré comme un grand privilège chez les sorciers.

– Je suis Malina et voici Rouf. Comment t'appelles-tu ?

– Cascabelle, marmonne la grenouille.

– Casca... **quoi ?** demande Rouf.

– Cascabelle, répète la rainette avec impatience.

Voyant qu'ils ne réagissent pas, elle s'énerve :

– Vous ne comprenez donc pas ? Cascabelle, c'est ainsi que l'on nomme les anneaux de la queue des serpents à sonnette ! C'est un nom abominable, je le déteste !

– C'est très joli, déclare Malina en exagérant son sourire.

– **Bof !** grogne l'ours. Ce n'est pas si mal ! Moi, je m'appelle Rouf parce que je fais ce bruit lorsque je ronfle. Au moins, toi, ton nom est mignon !

– Nous recherchons la fleur d'harmonie, explique Malina. Sais-tu où nous pourrions la trouver ?

– Non, répond Cascabelle. C'est la première fois que j'en entends parler !

– Alors, viens avec nous, propose Malina. Un papillon m'a révélé que cette fleur détient de grands pouvoirs. Peut-être pourra-t-elle t'aider aussi ?

Les yeux de Cascabelle s'embuent de joie.

– Merci ! Merci de m'accueillir parmi vous ! s'exclame-t-elle en bondissant partout. Je tâcherai de faire taire ma queue et je me ferai toute petite, minuscule même, pour ne pas vous déranger !

– Tu es déjà minuscule, répond Rouf en grognant. Et moi, j'aime bien le bruit que produit ta queue. On dirait des maracas !

Cascabelle se rengorge de fierté. Malina sourit et lui tend la main.

– Monte sur mon épaule, propose-t-elle. Tu seras plus à l'aise pour voyager !

Chapitre 8

Les compagnons marchent dans les marais boueux un bon moment. Puis les herbes s'allongent au fil de leurs pas et une longue plaine s'étend bientôt à perte de vue, emplie de splendides fleurs odorantes. Le côté fée de Malina s'en réjouit. Elle a envie de s'élancer à grandes enjambées, de danser et de chanter ! De peur que ses nouveaux amis ne se moquent d'elle, Malina se penche plutôt pour cueillir une marguerite.

– Où sommes-nous ? demande-t-elle.

– Je ne sais pas, répond Rouf. Je ne suis jamais venu ici.

– Moi, je le sais, déclare Cascabelle. Nous sommes dans le Pré fleuri. Il y a tant de pollen dans ce champ qu'il est infesté d'abeilles ! Ne restons pas ici ; nous nous ferons piquer !

– Il y a des fleurs à perte de vue ici ! s'exclame Malina. Nous y trouverons certainement l'harmonie ! Regardez bien partout, nous recherchons une fleur dorée. Ce ne doit pas être bien sorcier à trouver !

À peine ont-ils fait deux pas que les herbes s'écartent pour laisser passer un rocher qui cavale à toute vitesse dans le pré. Ce rocher est gros comme un melon et couvert de plaques colorées : une rouge, une verte, une bleue... Il va trop vite pour que Malina puisse les compter. Stupéfaite, elle observe un moment le manège de cette pierre étrange qui zigzague sans arrêt autour d'eux. Rouf se lasse rapidement et tend sa patte droite pour faire un croche-pied au rocher coureur. Bing ! Bang ! Le rocher cabriole et virevolte dans les airs, puis s'écrase dans une montagne de pissenlits.

– **Aïe!** **Ouille!** gémit le rocher.

Rouf, contrit, met une patte devant sa gueule.

– Pardonnez-moi, madame la Roche, je n'avais pas réfléchi aux conséquences de mon geste. Vous ai-je blessée?

Quand la pierre multicolore se relève, Malina réalise qu'il s'agit d'une tortue. Une tortue furieuse, d'ailleurs, car elle apostrophe Rouf :

– Non mais! Pour qui vous prenez-vous, espèce de... espèce de...

Elle s'arrête, à court de mots suffisamment éloquents pour exprimer sa colère. Malina décide d'intervenir avant que la situation ne s'envenime davantage.

– Veuillez nous pardonner, madame, dit-elle en déployant son charme de fée. Nous aimerions connaître les raisons de votre hâte. Cherchez-vous un objet ? Fuyez-vous un ennemi ? Si c'est le cas, nous vous offrons notre aide !

Rassurée, la tortue sort alors des herbes. Celles-ci lui camouflaient les pieds. Malina pousse une exclamation de surprise devant la magnifique tortue à mille pattes qui s'avance vers elle.

Rouf s'exclame étourdiment :

– **Oh !** Maintenant que j'ai vu

vos pattes, madame la Tortue, je comprends pourquoi vous courez aussi vite !

– Vous moquez-vous de moi, par hasard ? s'insurge la tortue en levant le menton bien haut. Sachez que je suis très fière de mes pattes, et ce, malgré les nombreux jaloux qui me taquinent sans arrêt ! Je suis la tortue la plus rapide de tout le pays !

Chapitre 9

– Madame, je ne me moque pas, bien au contraire ! s'exclame Rouf. Regardez-moi, regardez mes pattes de lapin ! Je ne fais peur à personne. Pour un ours tel que moi, c'est d'un ridicule, vous en conviendrez !

Malina remarque qu'un sourire de sympathie s'affiche sur le visage de la tortue.

– Comme je vous comprends,

mon pauvre! compatit la nouvelle venue. J'avoue que, parfois, j'échangerais bien ma fabuleuse vitesse contre des pattes normales!

Cascabelle glousse, prise d'un fou rire. Malina se demande ce qui peut bien la faire rigoler ainsi. La tortue, insultée, se tourne vers la rainette.

– Comment osez-vous ricaner, misérable, alors que vous êtes vous-même affublée d'une queue aussi repoussante?

– Je… je… hoquette la grenouille en se tenant le ventre. Je suis désolée. Je ne le fais pas exprès, je vous jure!

La tortue jette un regard méprisant à la rainette, puis lui tourne le dos pour s'entretenir avec Malina, qui lui propose de les accompagner dans leur quête de la fleur d'harmonie.

– J'accepte, s'empresse de répondre la tortue à mille pattes. Je me nomme Xylo. Et vous ?

Cascabelle se roule par terre et s'esclaffe, la queue frétillante :

– **Ha! Ha!** Xylo, c'est trop drôle! Et dire que je me plaignais de mon nom!

Xylo lève les yeux au ciel et pousse un soupir exaspéré. Malina, pour mettre un terme à la querelle qui menace d'éclater, donne le signal du départ.

Cascabelle reprend peu à peu ses esprits et parvient à calmer son hilarité. Perchée sur l'épaule de la fée-sorcière, elle avoue :

– Si tu savais combien je regrette d'avoir ri, Malina! Ce n'était pas très amical de ma part.

Malina, qui est bien d'accord, lui conseille :

– Je crois que tu devrais aller t'excuser. Tu te sentirais mieux après.

Penaude, la grenouille descend de son perchoir et s'approche de Xylo. La tortue, qui semble encore fâchée, ignore Cascabelle et accélère la cadence.

– **Attends!** s'exclame Cascabelle, essoufflée par le rythme effréné que lui impose Xylo.

Mais la tortue ne ralentit pas. Pour aider la rainette, Malina la prend dans sa main et s'approche de Xylo. Cascabelle murmure, la tête basse :

– Je tiens à m'excuser d'avoir ri tout à l'heure. Il y a si longtemps que je vis seule... J'en ai perdu mes bonnes manières. Je ne sais même pas pour quelle raison j'ai rigolé. Parfois, je fais des bêtises, comme ça, sans trop savoir pourquoi. Je ne le fais pas exprès.

Malina comprend ce que Cascabelle veut dire. Elle aussi, il lui arrive de se comporter d'une manière différente de ce que les gens attendent d'elle. Par exemple, lorsqu'elle se cache sous ses couvertures en imaginant un monstre sous son lit, alors que son père voudrait tant la voir affronter ses peurs.

Xylo respire un bon coup et lance à Cascabelle :

– Bon, d'accord. Je veux bien te pardonner. Pour cette fois-ci !

Chapitre 10

Les voyageurs avancent depuis ce qui leur semble une éternité dans le Pré fleuri. Au détour d'une colline, le regard de Malina se porte sur l'horizon. À perte de vue, tout n'est que marguerites, trèfles, myosotis et pissenlits. Aucune trace d'une quelconque fleur dorée.

Soudain, une abeille pique

Malina sur la cuisse. La fée-sorcière crie et se laisse tomber sur le sol en gémissant. Elle ne sait plus si c'est son côté fée ou son côté sorcière qui mène en ce moment. Elle a envie de rager, de pleurer, de crier. Ses émotions s'emmêlent. Découragée, elle s'écrie :

– Nous n'y arri-verons jamais ! J'en ai assez de marcher. J'ai mal à ma jambe, je suis épuisée et j'ai faim !

Xylo hésite un peu, se dandine sur ses pattes. Puis elle sort une galette de miel de sa carapace et la tend à Malina.

– Tiens, je te la donne.

– Je ne peux pas, proteste Malina. Tu n'auras plus rien à manger !

– **Bof** ! fait la tortue. Je suis un peu lasse de cette nourriture. C'est trop sucré pour moi. Je te donne ma galette bien volontiers.

– Bon, j'accepte, mais à une condition : nous la partagerons à parts égales !

Rouf se pourlèche les babines de contentement. Lui aussi, il semble affamé. Il dévore sa part sans en laisser une miette, puis il propose à Malina :

– Viens sur mon dos, je te porterai. Je ne suis pas fatigué, moi !

Malina sent ses joues rougir.

– Non, voyons, je n'oserais jamais. Tu te fatigueras, tu auras mal au dos…

– Que me chantes-tu là ? rigole l'ours. Je déracine des arbres grands comme des montagnes et je transporte des rochers gros comme des maisons. Ce n'est pas un poids plume comme toi qui m'estropiera !

– Et moi, intervient Cascabelle, j'agiterai ma queue pour faire fuir les abeilles. Elles ne t'importuneront plus !

– Vous êtes si gentils ! s'écrie Malina, émue par ces marques d'affection. Jamais je n'ai eu de pareils amis auparavant ! Vous m'avez redonné courage, car j'étais prête à abandonner. Grâce à vous, mes forces sont revenues et je me sens de taille à affronter tous les obstacles ! Et moi qui n'ai rien apporté... Je ne peux rien vous donner, je n'ai rien à partager avec vous ! Sauf, peut-être... Oui, tiens, venez dans mes bras, je vais vous faire un gros câlin !

Ensuite, Malina serre contre son cœur chacun de ses compagnons. Puis une voix rocailleuse s'exclame :

– **Ah!** Je te retrouve enfin ! Je t'ai cherchée partout !

Malina reconnaît aussitôt la voix du papillon caméléon.

Chapitre 11

– Où es-tu ? demande Malina en scrutant les environs. Je ne te vois pas !

Le papillon descend en piqué vers les voyageurs. Ses ailes couleur ciel prennent tout à coup la teinte des fleurs environnantes. Jaune, bleu, vert et rouge, le papillon se transforme en un vrai kaléidoscope ! Émerveillés,

Malina et ses amis demeurent bouche bée devant tant de splendeur.

– Tu as trouvé l'harmonie, à ce que je vois ! dit le papillon en souriant.

– **Quoi?** Bien sûr que non ! proteste Malina. Nous avons cherché cette fleur toute la journée, mais nous n'arrivons pas à la dénicher !

– Nul besoin de chercher plus loin que le bout de votre nez ! rigole le papillon. L'harmonie est ici, dans vos cœurs réunis ! Un accord parfait, que les obstacles ne brisent jamais, le partage avec son entourage, voilà le secret de l'harmonie !

– Tu veux dire… que la fleur d'harmonie n'existe pas ? demande Malina, au bord des larmes. Je ne pourrai donc jamais sauver mon royaume ?

– La fleur n'était qu'une métaphore, explique le papillon. Un mot pour créer une image dans ta tête. Mais je crois que tu ne m'as pas très bien compris ! Enfin, ce n'est pas grave. Je vois ici une belle harmonie. Bravo !

Sur ces paroles, le papillon caméléon redevient bleu et disparaît dans les airs. La tête entre les mains, Malina se demande ce qu'elle fera à présent. Aurait-elle parcouru tout ce chemin pour rien ?

Cascabelle se met à agiter sa queue en cadence. Puis Xylo s'empare d'un bâton et tape avec énergie sur les plaques colorées de sa carapace, qui produisent chacune un son différent.

Malina lève les yeux et observe le jeu des musiciennes en herbe, qui semblent avoir envie de lui remonter le moral. Sauf qu'elles n'ont aucun rythme. L'ensemble est cacophonique et torture les oreilles. Elle lève son doigt et donne des ordres :

– Cascabelle, ralentis un peu, s'il te plaît ! Xylo, une, deux, trois, quatre, suis le tempo ! Et si je chantais pour vous accompagner ?

Ravies, Cascabelle et Xylo approuvent la suggestion. Malina entame alors une mélodie de sa composition, qui alterne d'une drôle de façon les tonalités des fées et des sorcières. Tour à tour, les sons qu'elle émet deviennent discordants, puis mélodieux, puis grinçants, puis agréables.

Au bout de quelques minutes passées à s'exercer ensemble, les virtuoses se sont ajustés et une chanson naît.

– Vous êtes formidables! s'écrie Malina en applaudissant. Et si nous retournions chez moi pour présenter notre spectacle?

– **Oui, oui!** s'écrient Xylo et Cascabelle.

Seul Rouf ne prend aucune part à cette fête improvisée. Les épaules basses, il fait grise mine.

– Qu'as-tu donc? s'inquiète Malina. Ça ne va pas?

L'ours éclate en sanglots.

– Je ne peux pas participer, car je ne suis pas musicien! Je me retrouve encore tout seul dans mon coin!

– **Gros bêta!** le gronde Malina. Nous ne t'écarterons pas, au contraire! Ce sera même toi la vedette!

– Vraiment? murmure Rouf en reniflant. Comment ça?

– Je t'expliquerai en route! Si vous êtes tous d'accord, partons sur-le-champ! Il est déjà tard. Nous devons nous dépêcher si nous voulons rentrer avant la nuit!

chapitre 12

Pré fleuri, Marais déserts et
Forêt des Cent peurs, le paysage
défile à vive allure en si bonne
compagnie. Le Château du temps
apparaît bientôt à l'horizon. Des
nuages sombres le surplombent
et le soleil tente toujours une
percée. Les fées et les sorcières,
exténuées, dansent comme des
guenilles molles dans leurs
cercles respectifs. La journée a

été remplie d'affrontements, mais il n'y a encore aucun gagnant.

Malina relève la tête et traverse sans un mot le champ de bataille. Ses amis la suivent en file indienne. Tout à coup, une nuée de papillons se met à entourer les nouveaux venus. Les insectes forment un cercle parfait autour d'eux. À leur tête, le papillon caméléon fait un clin d'œil à Malina, qui lui sourit en retour. En prenant son air le plus sérieux, elle se tourne vers les musiciennes et lève son bras droit. L'index en l'air, elle compte :

– Un, deux, trois, quatre !

Cascabelle secoue sa queue et impose le tempo. Xylo frappe sa carapace en cadence, tandis que Malina entame son étrange chanson.

Surpris par ce revirement de situation, les fées, les sorcières, le roi, la reine et les spectateurs restent pétrifiés.

Soudain, Rouf dévoile ses pattes de lapin, qu'il cachait contre son cœur. Il enfile un tutu rose et se met sur la pointe des pieds. Dans un mouvement d'une balourdise presque gracieuse, l'ours se dandine le derrière avec énergie.

La danse de l'ours est si comique que les spectateurs éclatent d'un rire contagieux. Les fées et les sorcières quittent leurs cercles de guerre et s'approchent pour mieux apprécier le spectacle. Le roi et la reine descendent dans la cour et s'avancent main dans la main, le sourire aux lèvres.

Monsieur Nimbus et monsieur Soleil sont désarçonnés. Ils sont eux aussi enchantés par la tournure des événements, mais comme les participants ne font partie d'aucun clan connu, ils ignorent comment réagir.

Pour la première fois dans l'histoire du Royaume du

temps, les deux ennemis du ciel se tendent la main. De cette union stupéfiante jaillissent de magnifiques arcs multicolores qui convergent vers le sol. Le premier arc-en-ciel est né.

Une foule en liesse entoure aussitôt Malina et ses amis. Les héros du jour sont portés en triomphe jusqu'au château, où un gargantuesque repas les attend. Les souverains embrassent leur fille avec tendresse.

– Joyeux anniversaire, ma chérie! s'exclame le roi. Nous sommes si fiers de toi! Tu as ramené la paix dans le royaume et dans nos cœurs!

– Votre musique est **magique !** déclare la reine. Nous ferez-vous l'honneur d'un concert demain ?

Malina sourit de toutes ses dents en hochant la tête. Son regard suit au loin monsieur Soleil et monsieur Nimbus qui, main dans la main, rentrent se coucher. La lune, d'un baiser, réveille une à une les étoiles. La nuit emporte avec elle les querelles, et demain semble désormais rempli de promesses. Des promesses **de paix et d'harmonie.**

REMERCIEMENTS

Je voudrais remercier les Éditions Z'ailées pour la confiance qu'ils m'ont témoignée en acceptant mon projet. Un merci particulier à Amy Lachapelle pour son accompagnement durant le processus menant à la publication de mon premier roman.

Merci à Marie-Lee Lacombe, illustratrice, d'avoir donné vie à Malina et lui avoir offert un visage aussi harmonieux, encore plus beau que tout ce que j'aurais pu imaginer !

Un merci spécial à Geneviève Blouin, plume-sœur, ainsi qu'à Jonathan Reynolds pour leurs commentaires constructifs en cours de route.

Merci à ma fille Tania, pour qui cette histoire a été écrite. Ma belle, ta confiance inébranlable en mes talents d'auteure me donne des ailes et me pousse au dépassement !

Marc-Antoine et Martin, merci tout simplement pour votre présence, votre amour et tout ce bonheur que vous me procurez au quotidien.

Et pour terminer, un merci particulier à Martin, pour toutes ces corvées de vaisselle et ces tâches ménagères qu'il a prises à son compte au cours des dernières années, dans le but de me donner davantage de temps pour écrire et me réaliser pleinement...

L'AUTEURE

Isabelle Lauzon habite dans les Laurentides. Mère de deux enfants, secrétaire dans une caserne de pompiers et amatrice de pêche, elle écrit dans différents genres et pour divers publics. Elle a publié des nouvelles littéraires dans des revues et fanzines spécialisés tels que *Virages, Brins d'éternité* et Moebius. *Malina, mi-sorcière, mi-fée* est son premier roman publié. On peut la suivre au http://laplumevolage.blogspot.com.

LE ROMAN FANTASTIQUE

Le fantastique est un genre littéraire que l'on peut décrire comme l'intrusion du surnaturel dans le cadre réaliste d'un récit. Autrement dit, il s'agit de l'apparition de faits inexpliqués et théoriquement inexplicables dans un contexte connu du lecteur, ressemblant au merveilleux mais différent tout de même. Dans le roman *Malina, mi-sorcière, mi-fée*, le lecteur se glisse dans un univers irréel : celui des fées et des sorcières.

Pour ce roman, une fiche pédagogique gratuite est disponible au www.zailees.com.

Dans la même collection :

BOULANGER, CATHERINE
Une petite fille et le Grand Nord

BOURRET, ANNIE
Gabrielle sur la piste d'Ogopogo
Gabrielle et le vampire de Maillardville

CHARTRAY, PIERRE ET RANCOURT, SYLVIE
La légende de la bête puante

CORRIVEAU CÔTÉ, MANON
Les mémoires d'un ange poilu
ABC d'un génie ignoré

GIRARD, KEVEN
Fabuleux! La princesse, c'est moi!

HANDFIELD, NICOLAS
Un monstrueux banquet

LAROSE, PATRICK
Malik : Le chevalier pêcheur d'oiseaux
Malik : La menace de Jaccar le noir
Malik : L'attaque du roi Bassan

LAMY, FERNANDE
Le fantôme moqueur qui fait peur

LAUZON, ISABELLE
Malina, mi-sorcière, mi-fée

LAVERDURE, DANIEL
Le secret du succès

LAVOIE, CAROLE
  La forêt enchantée
  Le voleur d'adresses
  Kimberly au bal des fées

LÉVESQUE, ANNE-MICHÈLE
  Dragons.com
  Escapade météo
  Gabrielle en vacances au Mexique
  Gabrielle et la visiteuse de l'au-delà
  Météo surprise

MEUNIER, MARIE-PIER
  Le Zaillemeur

OUELLETTE, JOCELYNE
  Et si papa était un ogre !

RANCOURT, ALEXANDRE
  La mystérieuse boîte à solutions

Achevé d'imprimer en janvier 2014
Impression Design Grafik
Ville-Marie (Québec)
819-622-1313